공연 기록

솔직함

미술가 로니 혼[1]이 일련의 지침까지 첨부해서 작품 주제를 설명하는 글을 의뢰했는데 내가 오해하는 바람에 지침을 엉뚱하게 적용해버렸다. 하지만 그녀는 아랑곳하지 않고 그 글을 인쇄해 썼다.

카산드라 뜨다 할 수 있다

세 부분으로 나뉜 강연으로 2008년 브루클린 음악아카데미에서 처음 선보였는데, 고든 마타클라크의 작품을 보여주는 슬라이드 사진과 아홉 명에서 열두 명에 이르는 자원봉사자들이 나른 커다란 벽보(로버트 커리가 제작하고 자주 손보았다)가 동원되었다.

L.A.

로리 앤더슨[2]의 멀티미디어 전시회 〈중유(中有)[3]에서의 49일〉 안내서에 실린 「몸의 근연성에 관한 짧은 대화」와 로버트 커리와 앤 카슨이 쓰고 2012년 루 리드의 일흔 살 생일에 낭독한 「L은 루의 L 알파벳」과 루 리드가 죽은 해인 2013년 추수감사절에 로리의 집 만찬 식탁에서 손님들이 입 맞춰 낭송한 「루의 은혜」를 포함한, 로리 앤더슨을 위해 지은 다양한 글.

사소한 연극[4]

엘리엇 헌들리[5]가 오하이오주 웩스너 예술센터에 설치한 자신의 작품 〈바쿠스의 시녀들〉에 곁들이기 위해 의뢰한 글로, 2011년 오하이오주립대 그리스-라틴어문학과 구성원들이 전시 현장에서 공연했다.

음료처럼 사용되는 소유격 (Me)

2007년 하버드 영어학회에서 대명사에 관한 강연으로 처음 발표되었다. 다양한 음향을 엮어 만든 음향예술가 스테파니 로든의 음악 작품에 맞춰 줄리 커닝햄, 앤드리아 웨버, 라숀 미첼(이상 머스 커닝햄 무용단원들)이 선보인 새로운 무용을 찍은 사디 윌콕스의 영상이 동반되었다.

스택

무용가이자 안무가인 조나 보캐어[6]의 의뢰를 받은 글. 조나 보캐어는 이 글을 2008년 캐서린 밀러, 사일러스 라이너, 앤드리아 웨버, 애덤 와이너트가 실연하고 예술가 피터 콜이 무대와 부대장치를 맡아 스커볼 공연예술센터(뉴욕대)에서 공연한 무용 작품에 부쳤다. 2007년 로버트 커리가 계획한 〈스택〉 초판 공연이 앤 카슨과 피터 콜, 로버트 커리의 실연으로 헌터대에서 공개된 바 있다.

삼촌 추락

1번 강의('해리 삼촌')는 2008년 하우징워크스 북카페(뉴욕시)에서 윌 에이킨, 앤 카슨, 로버트 커리, 터시타 딘, 애비 스밸리, 게리 슈테인가르트, 차야 샌하우저, 영상으로 참여한 로리 앤더슨이 초연했다.

2번 강의('추락')는 2010년 세인트마크성당(뉴욕시)에서 열린 포이트리 프로젝트에서 조앤 줄리엣 벅, 앤 카슨, 로버트 커리, 새비트리 더키, 롭 무스, 엘리자베스 스트렙, 차야 샌하우저가 실연한 공연을 위해 추가되었다.

침묵하고 있을 권리에 관한 변주들

2012년 아일랜드 던래러에서 완전판 초연. 디트로이트에 설치된 타이리 가이튼[7]의 (방화로 일부가 파괴된 이후의) 작품 〈하이델베르크 프로젝트〉에서 따온 이미지들을 일부 이용하여 로버트 커리가 만든 슬라이드쇼가 곁들여졌다.

격렬하게 불변하는

2009년 로니 혼이 아이슬랜드 스티키스홀뮈르에 있는 자신의 설치미술 공간인 〈물의 도서관〉에서 열 공연을 위해 의뢰한 작품이다. 로버트 커리와의 협업과 캬르탄 스베인손과 올뢰프 아르드날스가 작곡하고 연주한 음악이 곁들여졌다.

¹ 로니 혼(Roni Horn, 1955~)은 미국의 시각예술가이자 작가로 아이슬란드의 풍광과 고립감에서 큰 영향을 받았으며 기후를 중요 주제로 채택한 설치 작품을 많이 선보였다. 2007년 아이슬란드 스티키스홀뮈르에 아이슬란드 빙하에서 모든 물로 만든 '물의 도서관'이라는 장기 설치 작품을 완성하기도 했다. 이 책의 「격렬하게 불변하는」에 그 '물의 도서관'이 배경의 일부로 등장한다.

² 로리 앤더슨(Laurie Anderson, 1947~)은 미국의 아방가르드 예술가이자 작곡가, 음악가, 영화감독으로 퍼포먼스부터 멀티미디어 프로젝트에 이르는 광범위한 영역에서 예술 활동을 이어가고 있다. 뉴욕을 중심으로 활동하며 특히 언어와 기술, 시각이미지에 초점을 맞춘 작품이 많다. 전자악기에 관심이 많아 몇 가지 악기를 직접 발명하고 연주하기도 했다. 벨벳 언더그라운드의 기타리스트 겸 가수이자 작곡가인 루 리드가 남편이다.

³ 중유(中有)는 불교에서 말하는 사람의 네 가지 존재 상태 중 하나로 한 생에서의 죽음 이후 다음 생까지의 상태를 말하며 일반적인 기간은 49일이다.

⁴ 원제목인 'Pinplay'는 '핀 장난'이라는 뜻으로 해석되기도 한다.

⁵ 엘리엇 헌들리(Elliott Hundley, 1975~)는 로스앤젤레스를 중심으로 활동하는 미국의 예술가로 아상블라주 기법을 이용한 대형 작품들이 유명하다.

⁶ 조나 보캐어(Jonah Bokaer, 1981~)는 미국의 안무가이자 미디어 예술가로 다양한 매체를 동원한 복합적인 공연을 선보인다. 머스 커닝햄, 존 재스퍼스, 데이비드 고든 등 여러 무용가와 협업을 진행했으며 아비뇽 페스티벌 등 세계적인 여러 무용 축제에서 안무를 담당했다.

⁷ 타이리 가이튼(Tyree Guyton, 1955~)은 디트로이트를 중심으로 활동하는 미국의 예술가로 소방관, 자동차 공장 노동자, 미육군 병사로 일하다가 예술 활동을 시작한 특이한 경력의 소유자다. 정치적 저항 운동의 하나로 디트로이트 흑인 거주 지역에서 시작한 야외 예술 활동인 '하이델베르크 프로젝트'로 세계적인 주목을 받았다.